CONTENTS

● CONTENTS ●

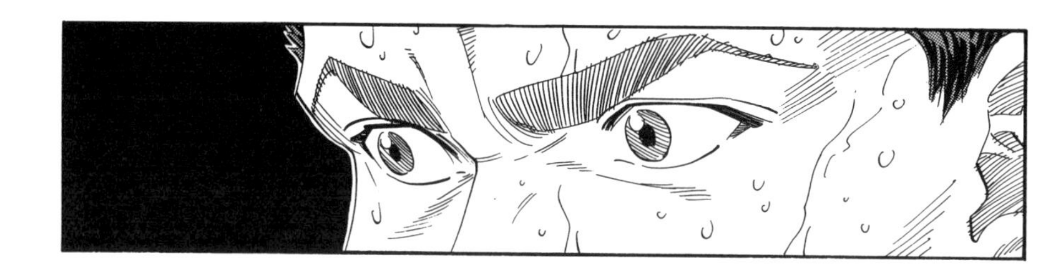

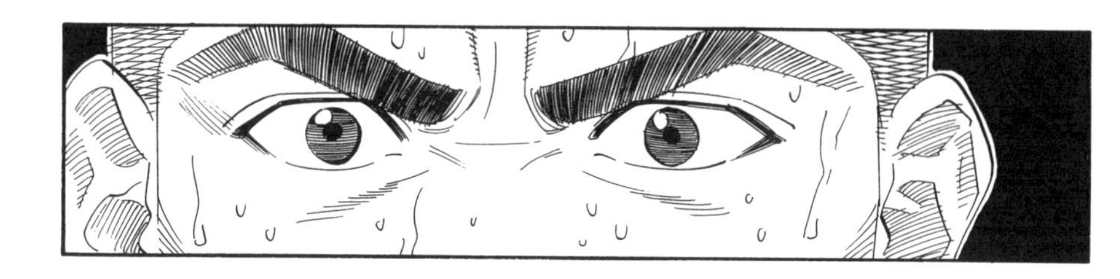

♯173 집중력

와
와
우와아~! 변덕규가 과감하게 공격하는데!!
자기의 파울이 4개라는 걸 모르는 것 아냐?
와
와
깜짝!
……!!
파울이다!!

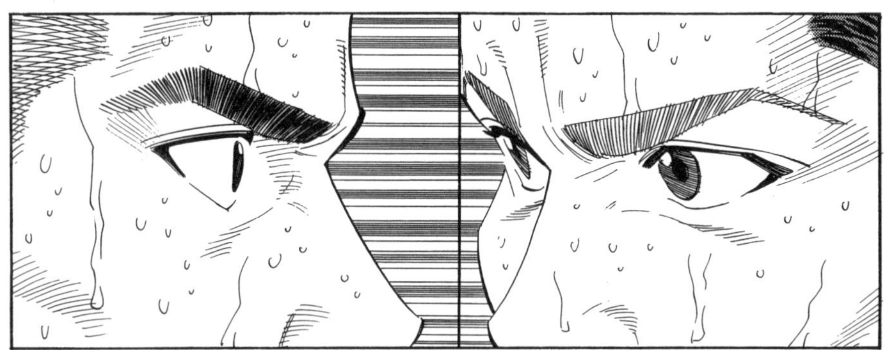

집중력—
그것은 항상 플레이의 완성도를 크게 좌우한다.

치수야, 파울을 유도해라!!
나오자마자 퇴장시켜서, 그 녀석을 우리나라 최고의 멍청이로 만드는 거야!!

지금까지와는
분위기가
틀려!!
이 녀석…

와
심판은 지금
호각을 불지
않았다.
파울이
아니란 거겠지.

선…?
와

와
변덕규는
지금 선을
그은 거다.
여기서
퇴장당하는
바보라면
능남의 4번
자격이 없지.
와

이것으로
변덕규는
차징의
경계선을
그은 것이다!!

즉, 저 정도라면
심판은
앞으로도 계속
파울을
줄 수가 없어.
지금
플레이를
파울로 하지
않았으니까.
와
와

와
와
……!!

채치수
3학년
197cm 90kg

변덕규
3학년
202cm
90kg

체격적으론 전혀 뒤지지 않는다.
얼굴 모양도 비슷하고 …

하지만 변덕규는 채치수만큼의 평가를 받고 있진 않다.

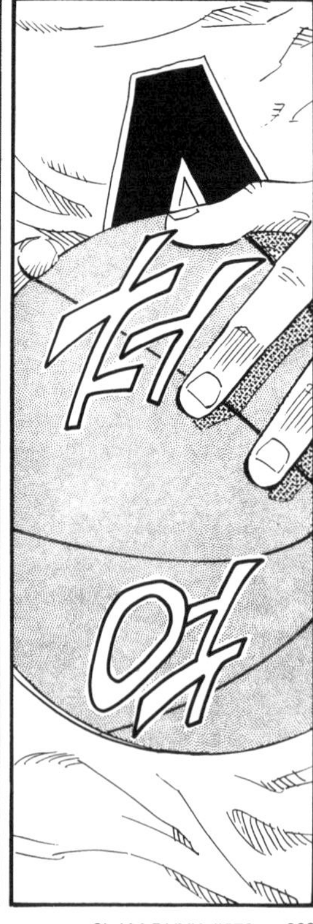
처억

찌익
!!

채치수…!!
역시
수비가
뛰어나
…!!

읏…!!

와
와

윤대협!!

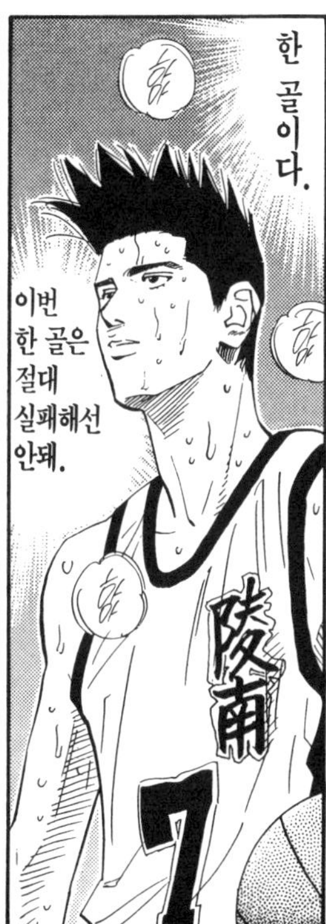
한 골이다.
이번
한 골은
절대
실패해선
안돼.

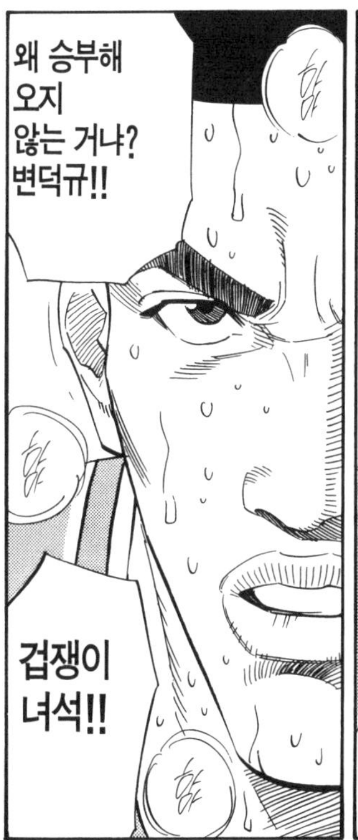
왜 승부해
오지
않는 거냐?
변덕규!!
겁쟁이
녀석!!

시끄럿!!
헉헉
입다물고 있어라, 채치수!!
헉헉
헉헉

헉헉
헉헉
헉헉

헉헉
헉헉
헉헉

헉헉
헉헉

먼저 이름이 알려진 것은 내쪽이었다.

우와!!

와아아아아
굉장한 녀석이야!!
엄청 커!!
와
저 녀석이 199cm의 1학년 변덕규냐?!
와
와

저 녀석….
나 정도 되는 것 같은데…!
빡빡머리?
코트 옆쪽에 있었었습니다만….
누구지? 190이 넘는 녀석이라….
그러고 보니 북산에 193cm의 1학년생이 있다고 했어.
그 녀석이 아닐까?
193…!!

직접 대결해보고 싶은 거냐?
……………

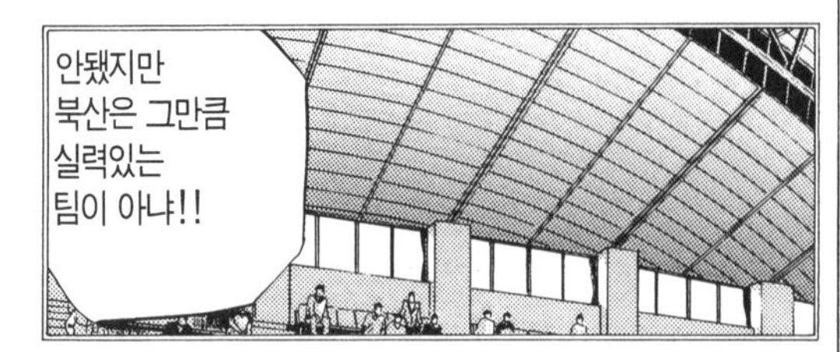
안됐지만 북산은 그만큼 실력있는 팀이 아냐!!

흥…
변덕규라고…!

잘난 척 하는 것도 얼마 안 남았다.

와와와
디-펜스!!
디-펜스!!
와

슛을 쏘게 하면 안돼!!
막아!!

시간이 없어요!!

앞으로 8초!!

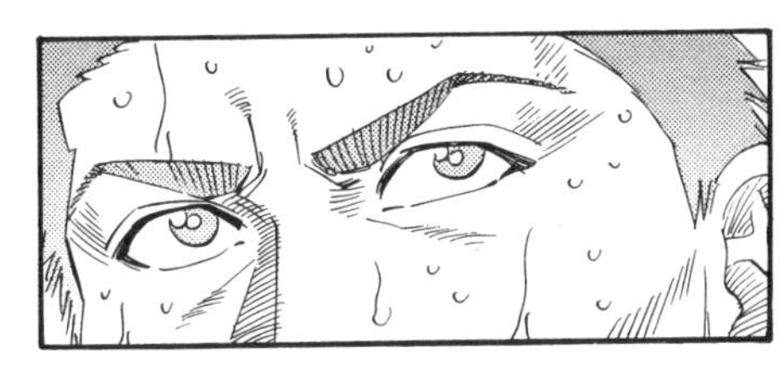

삐——익

30초 바이얼레이션!
!!

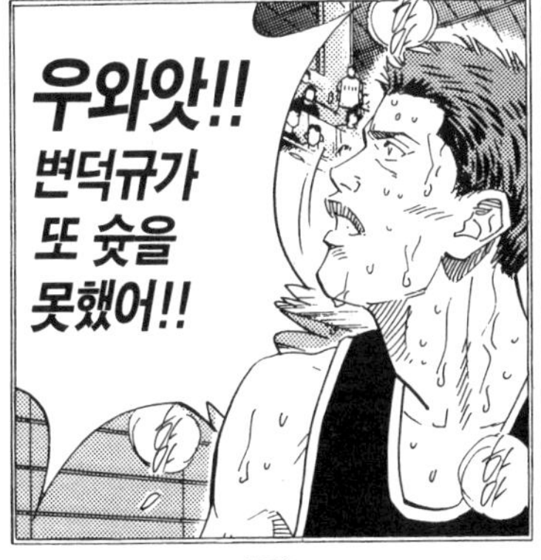
우와앗!! 변덕규가 또 슛을 못했어!!

뭐하는
거냐,
변덕규
!!
크로롱

나이스
디펜스,
채치수!!
잘한다!!

헉!
헉!
헉!
빌어먹을…!

헉!
헉!
헉!

이거
놀라운걸…!!
변덕규가
철저히
막히고 있어!!
와
와
와
저 골밑 수비는
정말
놀라워…!!

힘내요,
덕규형!!
팀의 패배는
결정적이지만
저 경기하는
자세는
아주 좋은걸!
보통 점수가
이 정도 벌어지면
집중력이
떨어지는데 말야.
능 남
북 산
82
와
와
와
와
와

채치수라고…!!
1년 전의
그 시합에서
나와
채치수의
평가는
역전됐다.

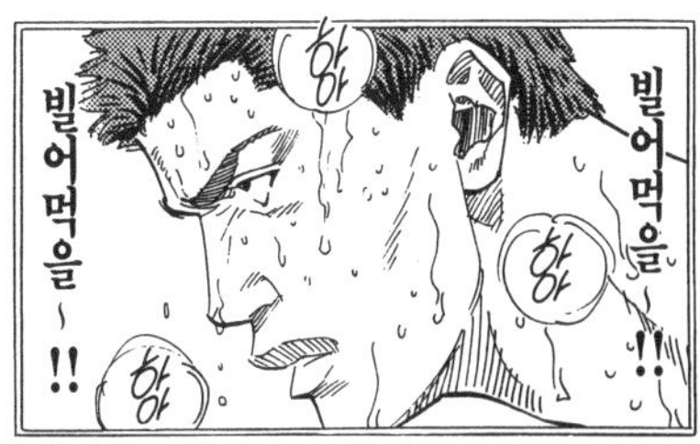
빌어먹을~!!
빌어먹을~!!

'변덕규는
나보다 크지만
단지
그것뿐이야!'
채치수가 그렇게
생각할지도
모른다고
생각하자
참을 수가 없었다.

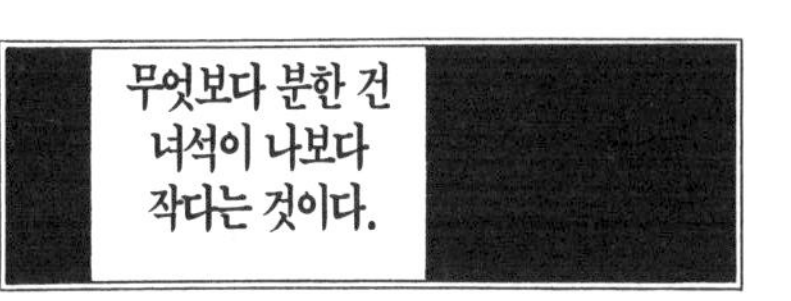
무엇보다 분한 건
녀석이 나보다
작다는 것이다.

난 그렇게도
싫어했던 풋워크의
양을 늘려 다리와
허리를 처음부터
다시 단련했다.
채치수에게
지지 않는
골밑 수비를
몸에 익히기
위해!

'단지
덩치만
클 뿐'
그렇게
생각되는
것만큼은
허락할 수
없었다.

파스
와
아
절대 못 쏜다!!
승부해요, 승부!!
와아아아
덕규형, 시간이 없어요!
치수야, 슛을 쏘게 하면 안돼!!

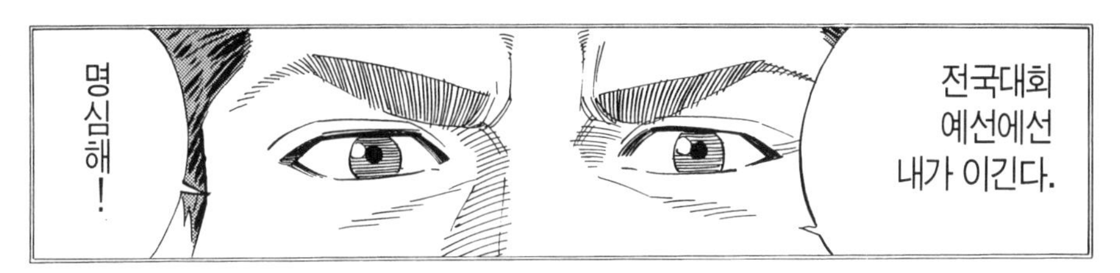
전국대회 예선에선 내가 이긴다.
명심해!

건방진….

OFFICIAL SCORE SHEET
연습시합
능남고교체육관
능남 87 50 - 42 37 - 44 86

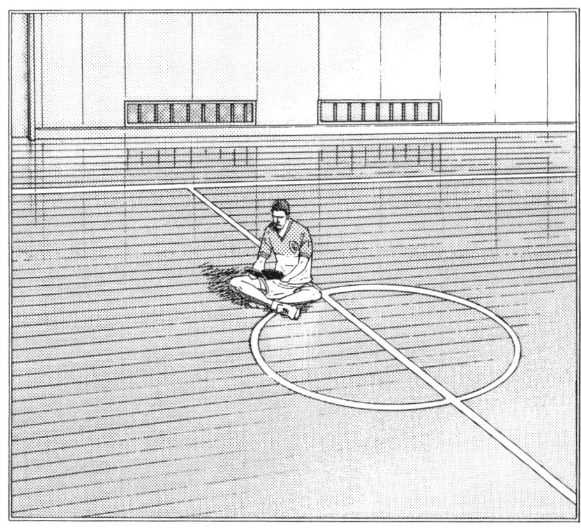

연습시합이라곤 하지만 채치수에게 30점이나 빼앗기다니….
30점이나…!

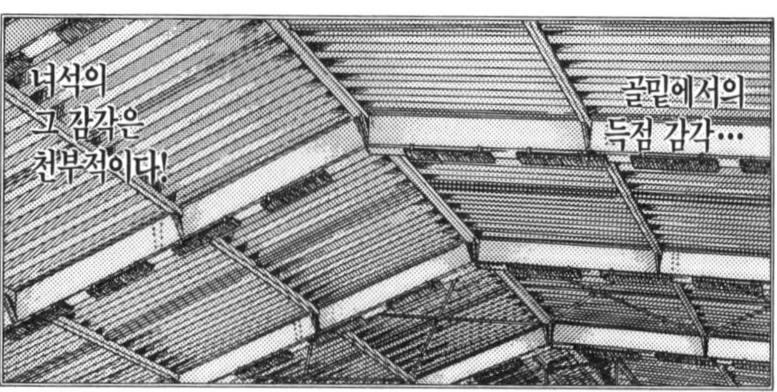
골밑에서의
득점 감각…
녀석의
그 감각은
천부적이다!

내게는
그것이 없다!

자,
오너라!
변덕규!
절대
슛은
못한다!
좋았어!
나이스
디펜스,
채치수!!
변덕규는
널 이기지
못해!!
아아-!
시간이…!!
나의
패배인가…
아니야!
그렇지 않아!!

됐어,
30초다!!

이야야야야!!
드윽
웃!!
아, 치수야!
!
휙
우웅

윤대협!!
아니?!

!!
아앗!!

삐
황태산!!
철
썩

우와아아앗!!
와아아아
들어갔다--!!
휴우--!
드디어….
드디어
한 골이
들어간 건가
…!!
와
와
우리에겐
점수를
따낼 수 있는
녀석이
있다.
내가 30점,
40점을
넣을
필요는
없다.
우와아!!

난 팀의
주역이
아니라도
좋다!!

이 만화의
주인공이기만
한다면…
어딜
넘봐!
능남
4
10

#174 BLUE COLLAR

와아아
와아…!! 드디어 점수를 따냈다!!
아
좋았어, 지금부터다! 힘내라, 능남!!
이게 얼마만이냐….
북산
5:29
능남
61
48
아

디펜스 확실히 하자!!
자, 디펜스다!

네엣!!
와
와
와
와
역시 변덕규가 골밑에 들어가니까 팀이 활기를 찾는군요.
이제 윤대협의 부담도 덜어지겠지.
와
와
이제야 능남의 본래 모습을 되찾았어.
쳇! 겨우 한 골 넣은 것 가지고 뭘 저렇게 난리야.
그러게 말야.
와
발버둥쳐도 소용없다.

이번에야말로 우리들의 승리다…!!
헉
헉
헉
디펜스 —!!
디펜스 —!!
와아아아아
동동
남은 시간 5분 24초에 13점차….
아직 할 수 있어.
……
……
……
그렇죠, 감독님 …!!

시건방진
녀석들!!
변덕규가
돌아온 게
뭐 그리
대수라고!!

훅
대만이형!!

파악

우리팀의
센터는
채치수다!!
고등학교

와아

변덕규
VS
채치수!
어느쪽이
No.1
센터인지!!
지금
결정된다!
Miuradai

猛果敢
이제
1점도 주면
안돼요!!
덕규형!!

이것으로
끝이다!!

드으응
!!

물러서지 마라!!
덕규야, 물러서면 안돼!!

……
힘으로 밀고 온다!!
당연하지!!

크윽…!
안돼, 그 녀석은….
내가 20cm나 작지만 전혀 무섭지 않아.
그냥 덩치만 클 뿐이라구!!

우와앗?!

…….

불지
않았어!
호각이
울리지
않았어!!

아니?!

말도
안돼!!
왕
왕

파울을
간신히
모면했군.

이것들이!!

강백호!!
!!
……
웃!

휙
웃!!
쉬어억
짧아!!

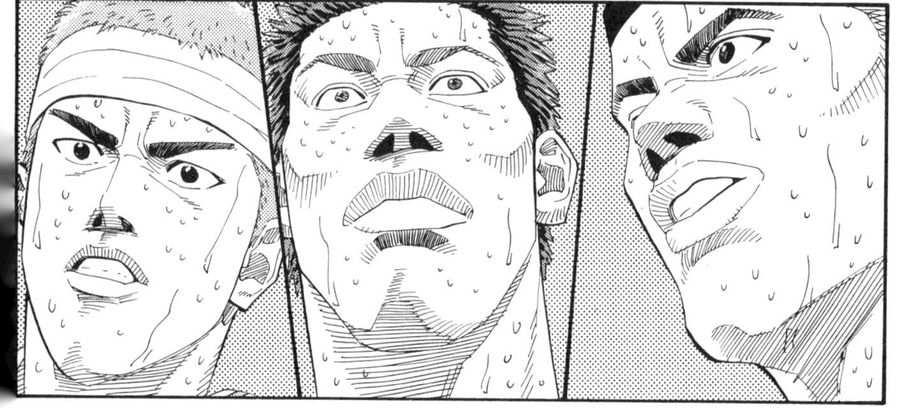

터엉

우와아아아앗!!

크얏!!

좋았어!!
우와아아아아!!
나이스 리바운드, 변덕규!
덕규 선배!!

와아아
챗!!
와아아
괜찮아! 침착해!!
수비 하나 하면 돼!
하나 정도는 그냥 줘도 괜찮아!!
쫙
쫙
괜찮아, 흥분말고 수비로 돌아가!!
아
첫. 두목원숭이 녀석….
변덕규…!!

항
이런 건
내게
맡겨라!

덕규형!
항
조금씩…
조금씩 흐름이
우리쪽으로 오기
시작했다…!!
……!!

와
좋아, 앞으로 5분….
와
13점 차이라 …!!
와
윤대협!
와
와

점수를 따라 가볼까!!

#175 주역

SHOHOKU
11

지금…
勇猛果
흐름이 변하려고 하고 있다.

능남쪽으로 파도가 밀려오기 시작한다.

산
4:59
능 남
1
2
3
4
61
2ND
48
대협아!

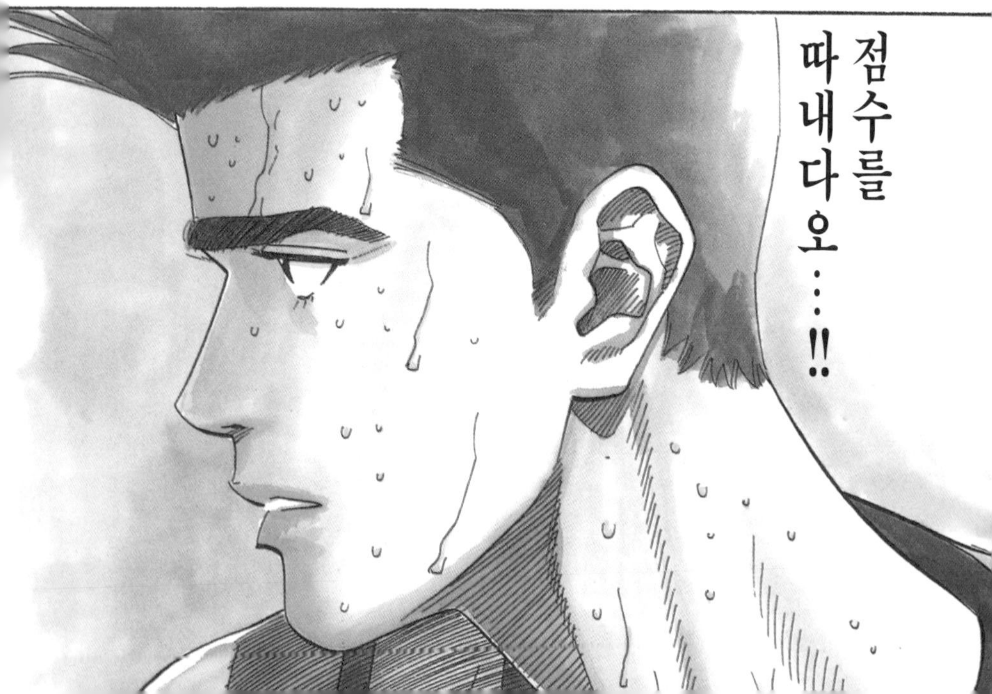
점수를 따내다오…!!

타
앙

24

타
앙

들렸어!!

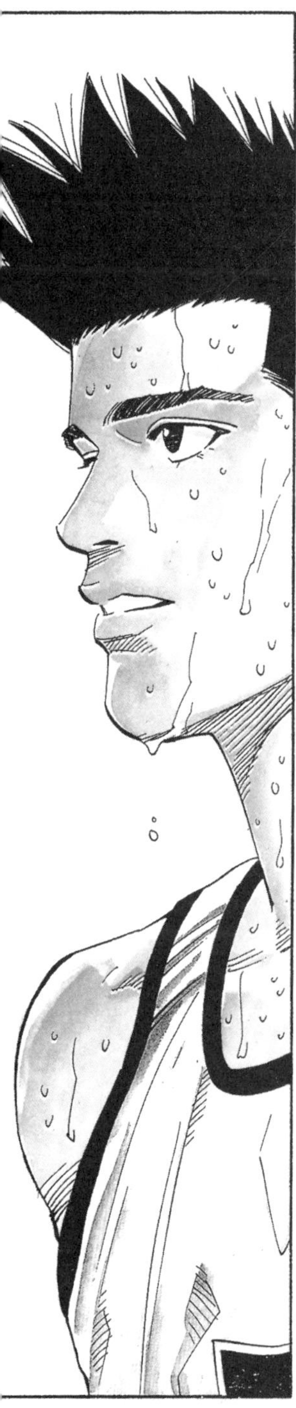

와
와
와
들었다구?
파이팅, 능남!!
밀어 붙여라, 능남!!

자, 앞으로 5분이다!
조금만 더!!
와
부탁한다…
와
와
제발…!!
와
와

와아아
디펜스!!
와아아
디-펜스!!
반드시 막을테다!!
겨우 능남이 원래 모습으로 돌아왔다.
어디가 강할까요? 정환 선배!
문제는 기세란 말이겠죠?!
윤대협과 서태웅…
누가 팀에 기세를 올려줄지….
흐음…, 모르겠어.
양쪽 모두 에이스의 변덕이 심해서….
믿을 수 없어…
변덕갱이
역시!
두 녀석 모두 한다면 하는 녀석이다….
와
와
와
와
와

점수를
따라 가라!!
대협아!!

덕규형!!
응?!

그냥 보내줄 것 같으냐!!

좋아, 잘
따돌렸어!!

!!
약

우왓!!

역시 읽고 있었어!!

!!
타
앗
우와아앗!!

!!

나이스!!

타닥

……!!

우와앗!!

삐―익
철
썩
바스켓 카운트!!
원 프리스로!!
좋―았어!!
와아
와와
와와
함성
함성
함성
멋지다!!

와-
세 개째…!!

와아
나이스, 윤대협!!
아
잘한다, 윤대협!!
아

와-
치수야, 파울 조심해!!
3개야!!
와-

그래…!!
쳇…!!
왕
왕
왕

와-
나이스, 덕규형!!
왕
왕
왕
와-

변덕규의 몸짓 때문에 채치수가 한 박자 늦었다.

변덕규의 숨겨진 멋진 플레이야!!

와-
와-
어…?
그러고 보니까
대만이도 파울이
3개잖아!
……
와-

그리고
태섭이도
….
백호도
3개예요.

움찔
……!!

철
썩

와아아아아
좋아!!
나이스
슛!!
윤대협!!
점
플레이다!!

와아
이제 10점 차이야!!
북산 61
능남 51
4:44
2ND
아 아 아

디-
펜스!!

능남이 점점 기세를 올리잖아!
괜찮을까…?
그렇게 간단히 추격당하진 않을 거야.
괜찮을 거야! 북산도 오늘은 최고의 컨디션이니까!

지금에 와서 따라붙을 수 있다고 생각하는 거야 뭐야!!
바보들~!!
쳇!
와와 와와

와아아아
디-펜스!!
디-펜스!!

디펜스!!
뭐, 뭐라구요? 백호형!!
돈키호테 같은 놈!

소란피우지 마!!
다시 밀어 붙이면 돼!!

자, 북산의 에이스는 어쩔 셈이지?!

!!

!!

오!!

엥?!

치잇!!
!!
!!
!!

얌마,
서태웅!!
바보처럼
그냥 뚫려
버리다니!!
빌어먹을!!
우와아아아아!!
돌진해!!
가라,
윤대협!!
큰일이다!

좋아!!
덤벼라,
강백호!!
파울은
절대 안돼,
백호야!!
간다!!
윤대협!!
붕
파딱

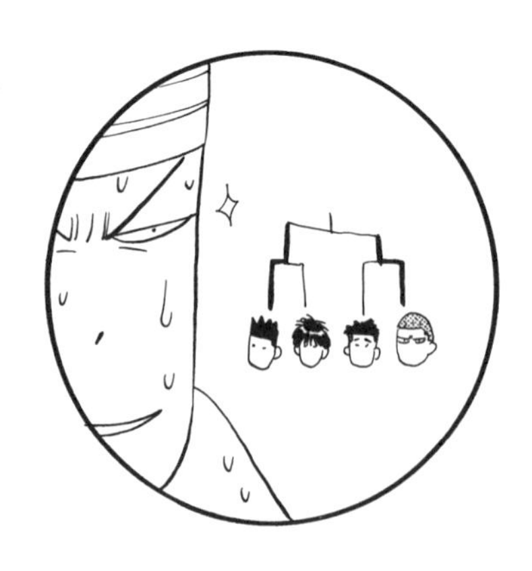

파울은 안돼,
백호야!!
덤벼봐라!!
백호야!!
윤대협은 내가 쓰러뜨린다!!
파앗

#176 불안요소
북 산
4:31
능 남
61
2ND
5

OUT OF CONTROL
陵南
7
!!

프리다!!
!!
!!
아아!!

우와앗!!

陵南
!!!

우와아아앗!!
윤대협!!
역시 해주는 구나!!

이번엔 둘 다 내게 진 거 아닌가!

……!!
크윽…!!

갚아주마!!
앗, 뜨거!

백호가 파울도 할 수가 없었어. 과연 윤대협…!!
윤대협, 파이팅!!
잘한다, 윤대협!!

8점….

좋아!!

와
와
1분에 한 골씩
점수 차이를
줄인다.
그러면
30초 남기고
따라붙을 수
있어.

저 녀석이…!!
……
그렇게 쉽게
될 것 같냐!!
바보 녀석!!

자…
가볼까!

파이팅!!
와-
와-
와-
디-펜스!!
와-
와-
술렁
디-펜스!!
디펜스!!
우와와와
디펜스!!
勇猛
능남의 분위기가 바뀌었다….
성가신 녀석이 되살아나고 말았어.
살린 람은 덕규고…!!
오잉?! 아주 기고만장 해졌는데!!
조금 전까진 초상집 같더니!!
정말…!!

능남은
윤대협을
믿고 있다.
윤대협이
승리로
이끌어줄
거라고…!!

대협이형이
있는 한
능남은 절대
지지 않는다!!

한 가지
가르쳐주지!!
응?
바스켓은
산수가
아니다!

땅
서태웅!!
그대로 돌파냐!!
좋아!!
마크를 뚫지 못했어!!
무리한 슛이야!!

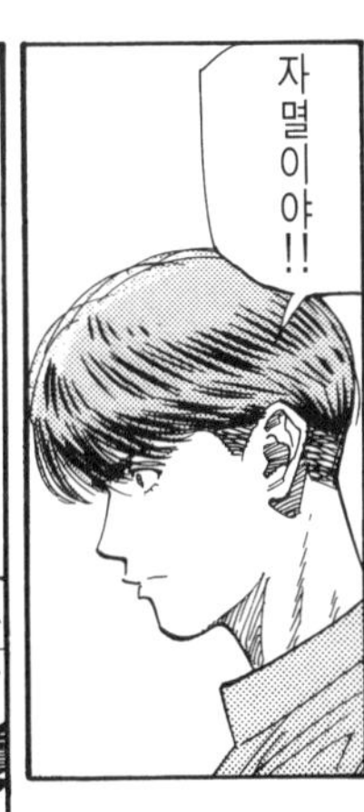
자멸이야!!

저 멍청한 녀석이!!

철
썩

태웅아!!

!!

와아아
아
아
아
우와앗 성공이다!!
서태웅!!
왠지 억지로 집어넣은 것 같아!!

떠—엉
……!!

헤이!
와아아아

어떻게 할 거나? 또 벌어졌는걸!
이 녀석…!!

4:15
63
53

중요한
시점에서
완벽하게
한 골을…!!
서태웅!!
역시
보통 녀석이
아냐!!

우와아!
엄청난
배짱이야,
서태웅 녀석!!
스코어
보드를
가리키고
있어!!
굉장히 지기
싫어하는
녀석이야!!

두려운
녀석이야!!
게다가
운만 좋으면
변덕규의
파울까지
유도
하려는
생각이었어
….

지금의 슛이
네겐 힌트가
되었을
것이다.
하지만
대협아….

너라면
이미
깨달았겠지.
북산이
갖고 있는
불안요소를…!!

턱
멈

스크린!!

탁
스위치!!
앙

바꿔 막으면 안돼!!
!!
윤대협!!
미스 매치다!!
우선은 송태섭인가!!

이 녀석!!
태섭아, 무리하지 마!!
쉽게 슛을 주진 않아!!
윤대협은 파울을 유도하려는 거야!!
4개째를!!

북산의
불안요소
그
첫 번째는…
바로 파울
트러블
이다!!
삐이이이익
!!

아무것도
모른 채…
뒤척

삐이이이와
북산 7번!!
……
철썩..

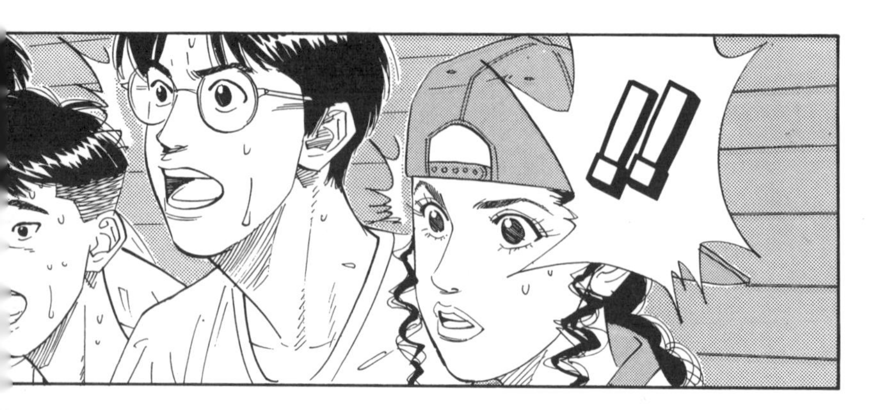

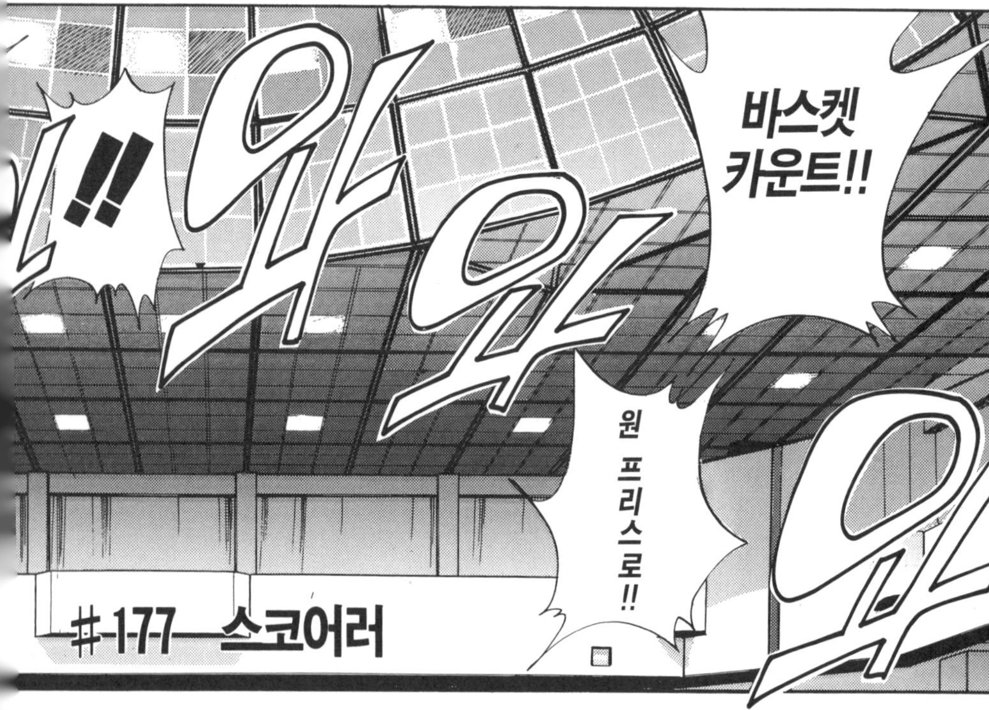

#177 스코어러

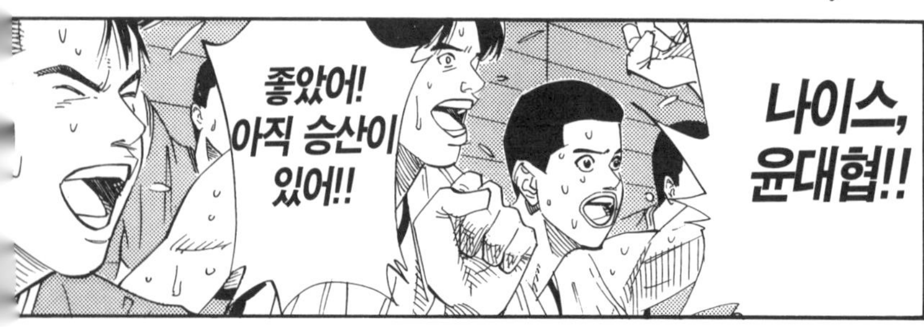

나이스,
윤대협!!
좋았어!
아직 승산이
있어!!

아니?!
우와
들어갔
우와
저런 괴물 같은 녀석!!

송태섭,
4개째다…!!

……
와아아아

안선생님이
안 계시니까
벤치에서의 지시는
내가 해야
하는데…!!
아냐,
그러다 혹시
퇴장당하면
어쩌지?
아냐, 시간이
얼마
안 남았으니까
괜찮을 거야!!
어… 어떻게
하지?
교체해야
하나??

SHOHOKU
7

오옷!!
선배님,
진정
하세요!!

태섭아,
괜찮겠어
?!
아냐,
하지만…

송태섭.
네가 여기서 빠져선 안돼!!
30
SHOHOKU

우리가 이기기 위해선!!

알고 있어요!!

이봐 우리 3명도 파울이 3개란 거 알아?
그래.
조심하자.

파울군단.
저게!!

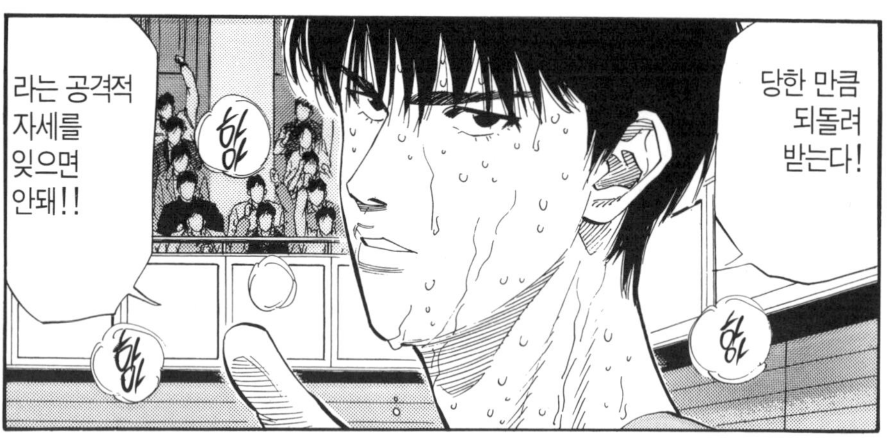
당한 만큼
되돌려
받는다!
라는 공격적
자세를
잊으면
안돼!!
항
항
항

응?!
뭐?!
건방지게!!

잘 잘 잘 잘…
잘난 척 하기는!!

네 녀석한테
그런 말을
들으니까
공격하고
싶은 마음이
사라졌다!!
너한테
얘기한 적
없어!!
공격할 능력도 없는 녀석에게 말해 뭐해!

으랏차-!!

와!
철썩
나이스
슛!!
와

네…
이놈,
윤대협!
우웃!
왠지 백호의
분노 게이지가
또 높아지는 것
같다!!
이거 한번
기대해
볼만 한데!
퇴장의
기대도!!
아… 안돼!
퇴장은!!
그게 바로
능남이
원하는
거란 말야!!
후후…
파이팅,
윤대협!!
7점
차이다.
흥!
다시
두 자리 차로
만들어주지.
윤대협!!

좋아, 우선
한 골이다!!
침착하게
가자!!
……
달재야!
일단
언제든지
나갈 수
있도록
준비해둬라!
예…
예!!

북산의 벤치가
바빠지기
시작했군….

스타팅멤버
5명 중,
서태웅을 제외한
4명이
파울 3개 이상.
송태섭이 4개째를
범함으로써
이들 4명은 파울이
더욱 두려워
졌을 것이다.
강력한 수비를
펼칠 수
없게 된다.

이것이
불안요소의
첫 번째인…
파울
트러블
이다!!

와
아
이런 큰
시합에서
…!!
야
야
와
아
하나!!
하나만
확실하게
넣자!!
아
와
송태섭…
내가
태섭이의
자리를
감당할 수
있을까…?
두근
두근
야
야
와
북산은 벤치가
약해….
자칫하면
파울 트러블이
패배로
이어지는 수가
있어.
조금씩이지만
능남에
역전의 기미가
보이고 있어….
와
와
와
와
……
울재
교체 선수는
수준이 훨씬
떨어지는
만큼…

불안요소
그
두 번째…
선수층이
얇다!!

후후,
내 각본대로
되어가기
시작하는군…!
각본 ·
유명호,
주연 ·
윤대협이다
…!!

후훗,
쓸데없는 말을
늘어놓았구나.
침착해야
하는데…!!
중얼
중얼
……

역시
대단해!
우리 감독님
…!!

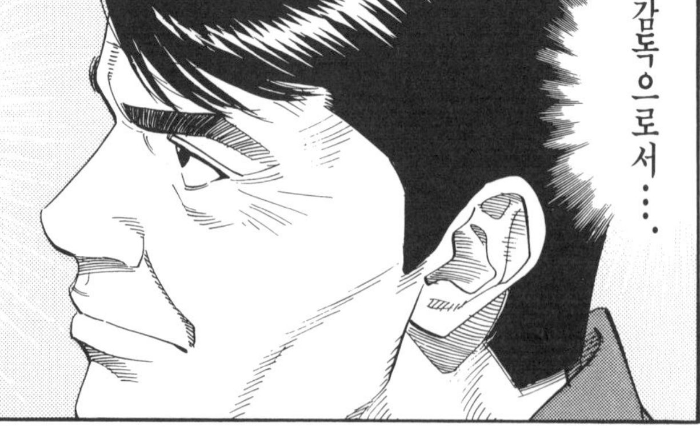

감독으로서….
게임의 흐름을
바꾸는 이런
결정적인 상황을
맡길 수 있는 선수로
윤대협 이외에는
없을 것이다.

윤대협을 데리고 온 건 나 유명호, 일생 최고의 파인플레이 였을지도…!!
서태웅이다!!
대협이를 얕보지 마라, 서태웅!!
!!

!!
바보 같은 놈! 멍청이!! 혼자 다 해 먹어라!!
이 녀석!!
앗

앗
!?

침착해라, 태웅아!!

아직

SHOHOKU
11
7

아!!
아니?!
오오
SHOHOKU
11

!!!
SHOHOKU
11

아악 / / ?!
쿵
우와와와와 웅
또…
또 되갚았어!!
금 이는 게 나보군 !!

또 벌어졌다.
와
함
와
함
와
와
와
와
와
65
56
SHOHOKU

재미있군…!!
와
와
함
함
함
와
와

영수야,
패스해줘!!
와
알았어!!
와
와
대협이 녀석,
옛날로
돌아갈
생각이군…!
헉
헉

디-펜스!!
와
디-펜스!!
와
와
디-펜스!!

여기까지
온 이상
반드시
능남을
뿌리쳐야해!!
쫓아오게
해선 안돼!!
우린
이겨야 해!!

2학년이 된 후,
패스에 재미를
느끼면서
플레이 스타일이
조금 바뀌었지만…
헉
헉
헉
학년 때의
협이는
청난
코어러였다.

파울
조심해!!
모두
힘내!!

기억하고 있겠지? 채치수!!
와아아아
항
항
항
좋아, 앞으로 3분 30초다!!

대협이 녀석 한 명에게 47점을 빼앗긴 것을…!!
우와앗!!

북산
3:30
능남
65
2ND
56

윤대협 ON FIRE
슉
페이더
웨이
슛이다!!
!!

철썩
#178 윤대협 ON FIRE

우와앗!! 또 윤대협이다!!
이걸로 10연속 득점!!
와아
윤대협!!
윤대협!!
와아

우와아아아아!!!

첫…. 지금까지 어시스트에 힘을 쏟은 윤대협이 점수 쌓기에 나서고 있어!!
지금의 윤대협은 변덕규, 황태산보다도 훨씬 두려운 스코어러다!!

승리를 향한 집념인가?!
윤대협…!

야, 서태웅 너!! 멋있게 보이는 득점에만 신경쓰고 있는 거지!
수비는 조금도 신경 안 쓰냐?!
아얏?!

비켜!
펑억
앗!

저 놈이!!

울
울
울
되갚는다!!

첫, 저 녀석한테 윤대협을 맡기면 따라잡히겠어.
뭔가 수를 쓰지 않으면…!!
학
학
학

역시 이 천재가 …!!
화르르

……
울렁

역시 이 녀석과의 1 ON 1 (일대일)은 재미있어.
학
학
학

도내 최고의
득점력을
갖고 있다.
그리고….
지지 않으려는
강한
투쟁심과…
터프한
정신력….

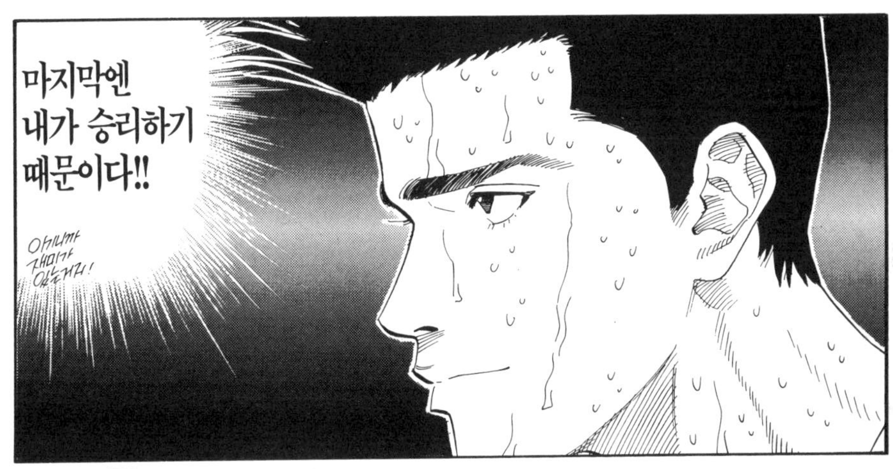
마지막엔
내가 승리하기
때문이다!!

수비다!!
와
아아아아
하나만
막아!!
디펜스!!
윤대협에게
이끌려 능남의
멤버들이
다시
되살아났어.
완전히….

볼 OK!!
반대편이야!!
조심해!!
OK!!
늦었지만
강한 능남으로
다시 돌아왔어.
그래요.
능남은
북산보다
수비가
좋은 팀이기
때문이지.
아니,
아직 늦지
않았다.

와
삐! 삐! 삑
30초 오버 타임!
아
뭐?!
아
아아
아아!!
좋았어-!!
우와
와
와
와
잘 막았어!!
나이스 디펜스!!
좋아!
젠장!!
힘찬 응원 부탁해요!
볼에 손도 못 댔지?!
쳇!!

뿌뿌뿌뿌뿌
힘내라!
능ー남!!
勇猛
파이팅!! 파이팅!!
잘했다, 경태야!!
첫…!!
당황하지 마, 수비해!!
디펜스, 확실하게 해!!
오펜스!!
오펜스!!
와아아아아아아
오펜스!!
우와~. 능남 응원단 정말 엄청나!!
오!

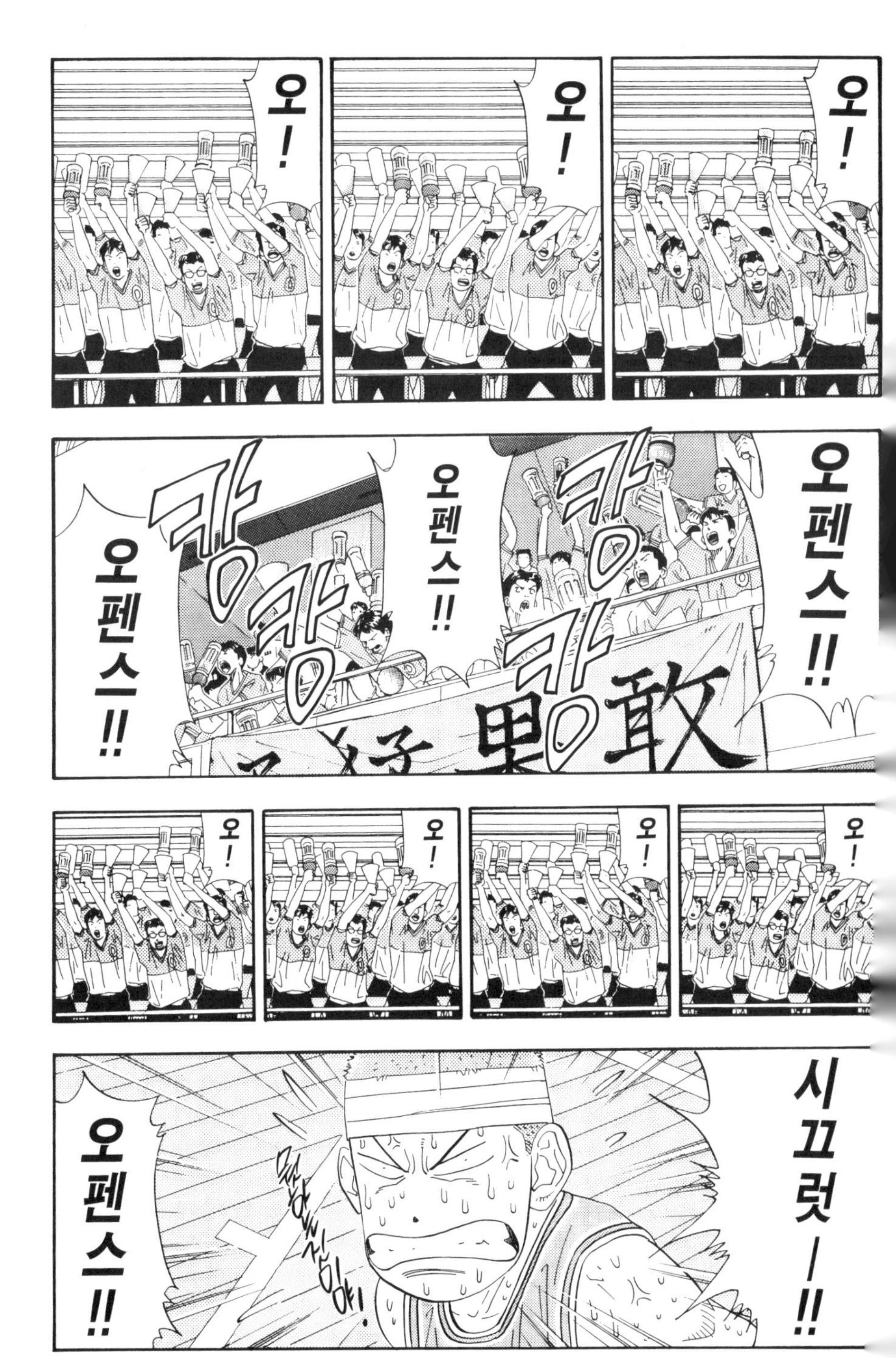
오!
오!
오!
오펜스!!
쾅쾅
오펜스!!
쾅쾅
오펜스!!
오!
오!
오!
오!
시끄럿-!!
오펜스!!

와
와
와
와
저기, 범수야!
아직 하얀 유니폼이 역전할 가능성이 있는 거야?

와
……
와
와

오펜스!!
신경쓰지 마라, 강백호!!
신경 안 써요!!
오펜스!!

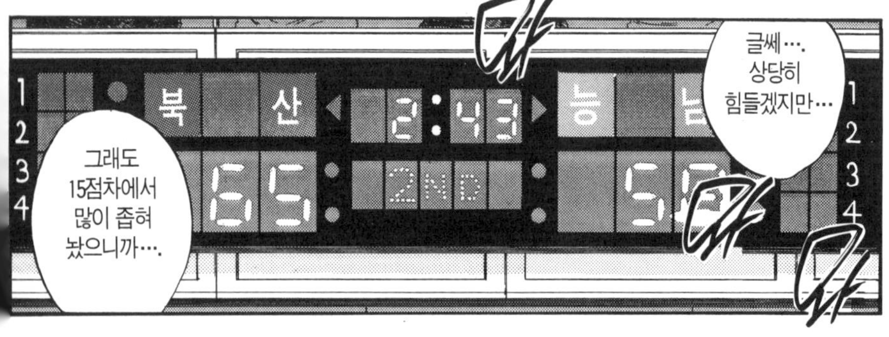
와
1 2 3 4
북 산
2:43
2ND
65
능 남
1 2 3 4
글쎄…. 상당히 힘들겠지만…
그래도 15점차에서 많이 좁혀 놨으니까….
와
와

저 7번이 기적을 일으킬지도…!
!

저 뽀족머리가….
7번이….
웅성웅성

……
불끈
윤대협이….
웅성웅성

너무 멋져-!!
아니?!
7번-!

猛果敢
등학교 농구부

3점슛-?!
!!

아니!!

우와아아아앗!!
3점슛이다!!
7번!!
뾰족머리 만세!!
윤대협!!
4점이다!!
드디어 4점차까지 쫓아왔어!!
능남
북산
2:38
65
61

와와
삐!
와와
와
와
작전타임,
북산!!
왕
왕
왕
……!!
왕
!
와
윤대협!!
야
……
야
야
윤대협!!
윤대협!!
윤대협!!
윤대협!!
야

윤대협!!
와아아
아
윤대협!!
아
윤대협!!
아

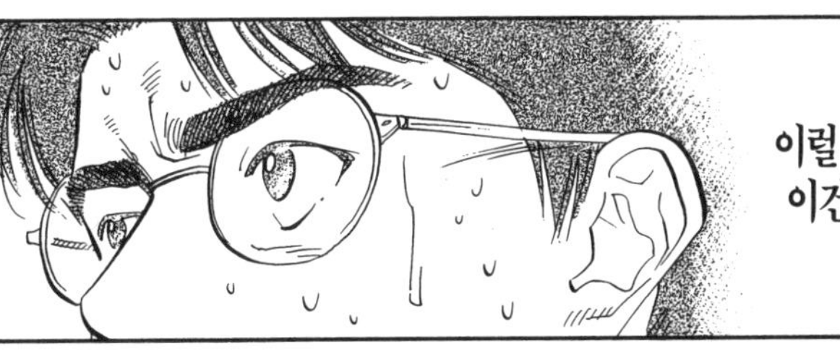
이, 이럴 수가! 이건…?!
마치 체육관 안이 모두 능남의…, 윤대협의 팬으로 가득차 있는 것 같다!!

윤대협…
녀석의 실력은 대체…!!

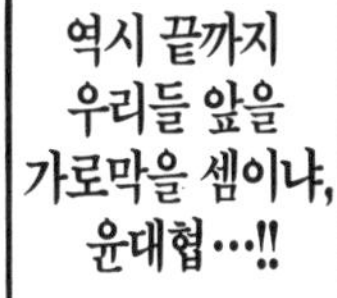
역시 끝까지 우리들 앞을 가로막을 셈이냐, 윤대협…!!

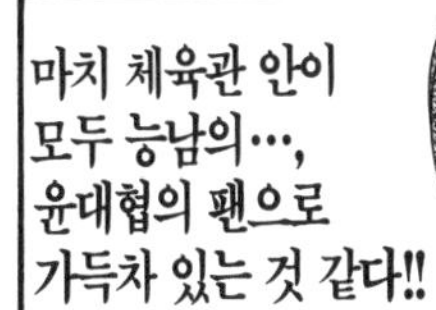

이 녀석들, 기적을 ….
대역전극을 기대하기 시작했어!
와아
아
아

신경 쓰지 마라!!
남은 시간은 거의 없다!
와아아
쳇! 누가 역전 당하기나 한대!!

와아아아아
윤대협을
어떻게
하지…?!

내가
막는다!!

네녀석은
무리야!!

어쩌지…??

어떡하면…??

어쩌지…??

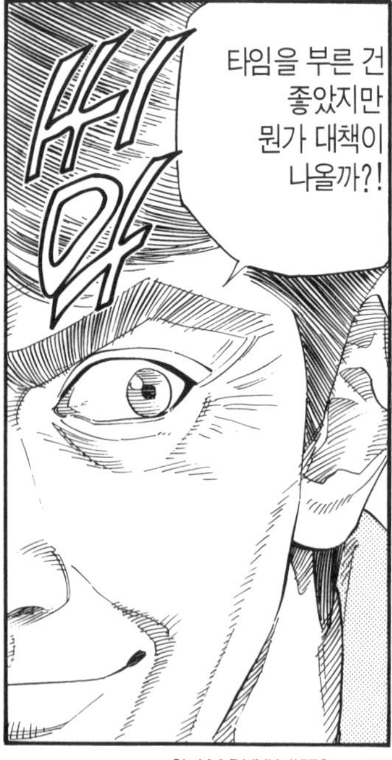
타임을 부른 건
좋았지만
뭔가 대책이
나올까?!

와아아아
봐라, 형세는
역전됐다!
지금 허둥대고
있는 건
리드하고 있는
북산쪽이다.

북산 최대의
불안요소는…
안선생님의
부재다!!
와
어쩌지?
와
어쩌지?
와
어쩌지?
와
와
와
전국대회가
눈에 보이기
시작했다!!
헉
헉
헉
헉
헉
와

삐이익
한번 더…

50초입니다!!
와 와
와
삐
엉?
벌써 끝났나!!
어떡하지?!
와아아아아아
가자!!
헉
헉
파이팅!!
어쨌든 알겠지 너희들!
저쪽에서 무서운 건 윤대협 하나다!!
헉
헉

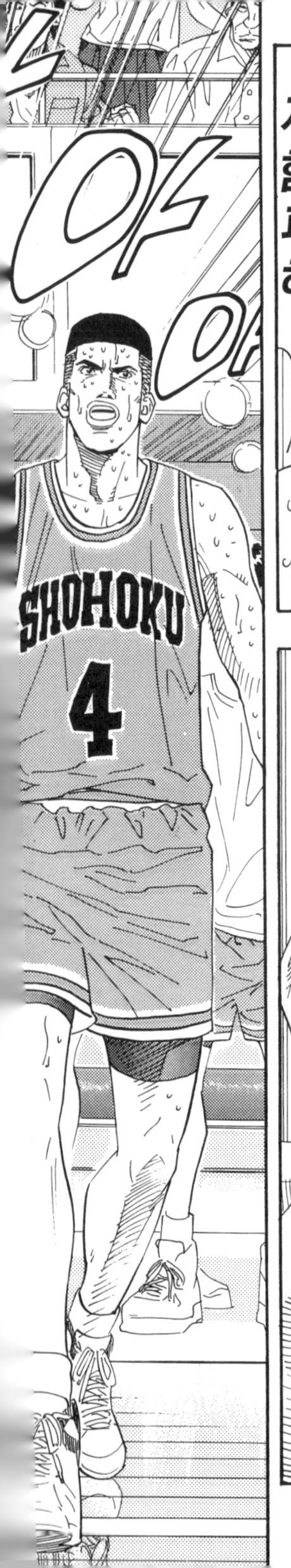

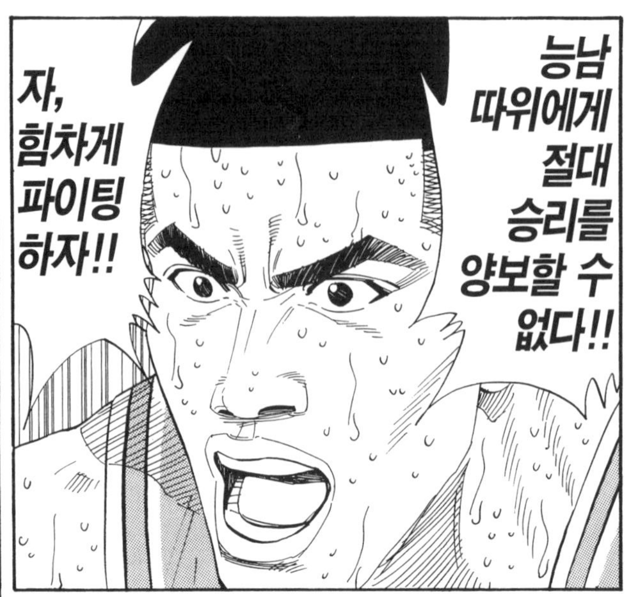

능남 따위에게 절대 승리를 양보할 수 없다!!
자, 힘차게 파이팅 하자!!

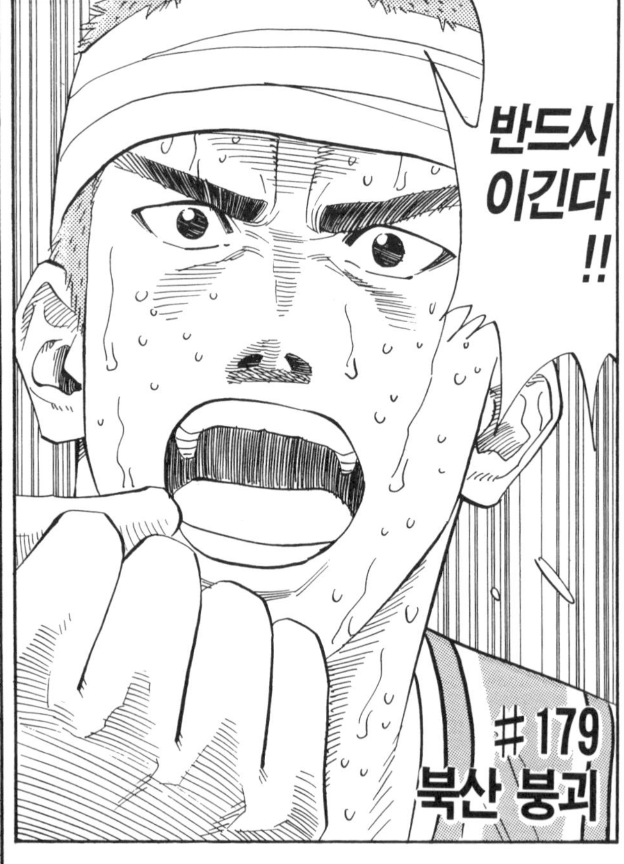

반드시 이긴다 !!

♯179 북산 붕괴

와앗!!
구체적인 대책은 아무것도 안 나왔어 ….
……
능남!!
능남!!
투….

투지다!!
여기까지 온 이상 이제 남은 건 마음가짐 뿐이야!!
절대 져선 안돼!!

아니?!
앗!!
!!
존 프레싱
이다!!

유명호
감독!!
여기서
승부를
걸려는
거야!!
디펜스!!
수비!!
勇猛

힘들
다는 건
알고 있다!!

그러나 이것이
마지막이다.
마지막
승부야!!
너희들이
가진 힘을
전부
끌어내야
한다!!

마지막까지
최선을
다해라!!
네엣!!

우아아아아아!!
쳇, 이 녀석이!!
!!
앗, 파울 조심해! 지금 4개야!!
좋아, 잘한다!!
더 강하게 몰아붙여!
태섭아, 너무 오래 들고 있다!!
패스로 공을 돌려!!
내가 받아줘야 하는데…
!!

……
헉 헉

대만아…!!

모든 것이 잘될 때는 미처 의식하지 못하지만….
핀치에 몰렸을 땐 2배, 3배가 되어 밀려온다.

헉
헉
헉
헉
그것이 피로다!!

안선생님이 안 계실 때 내가 뭔가 하지 않으면‥
내가….
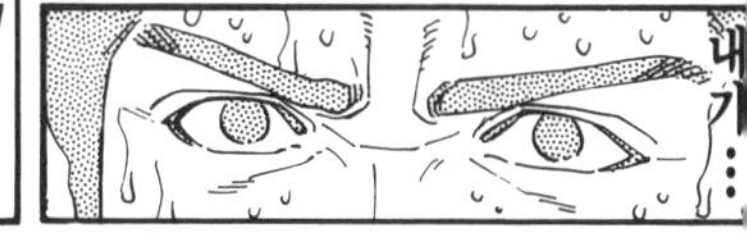
내가…

아…! 10초다!

안선생님이 안 계시니까 순간순간 변하는 상황에 제대로 대처를 못하는군!!

송태섭!!
!!

이야앗--!!
고릴라!
!!

!!
덩
엉

와아아아
아앗!!
좋아!!
쿡

북산의
불안요소
그
네 번째!!
풋내기 강백호!!
잘했어!!
지금은
슛이지?!
빌어먹을,
빌어먹을,
빌어먹을!!
고릴라!!
잘한다,
강백호!
고마워!!

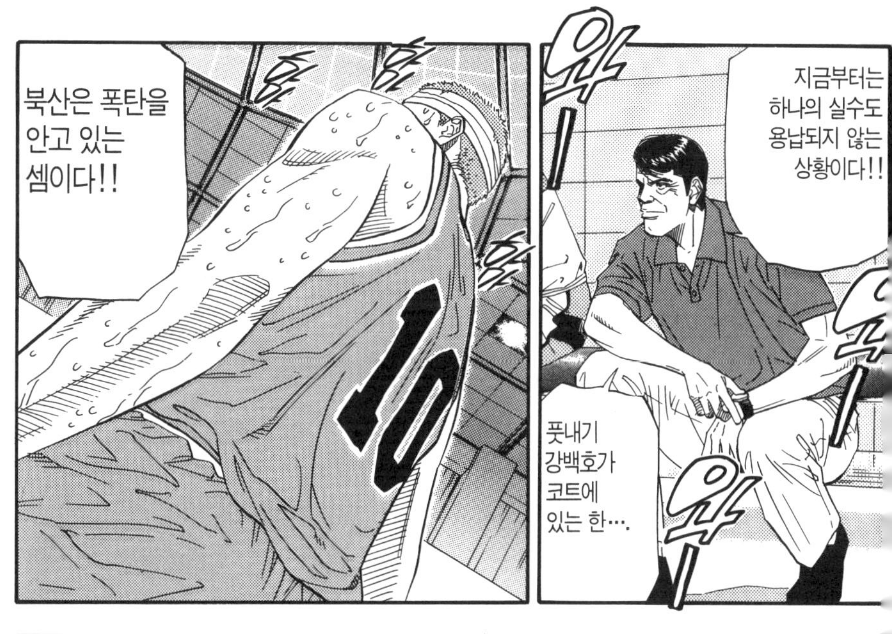
지금부터는
하나의 실수도
용납되지 않는
상황이다!!
와
와
와
풋내기
강백호가
코트에
있는 한….
북산은 폭탄을
안고 있는
셈이다!!

빌어먹을!!
절대 지지 않아!!
백호야…!!
와
와
와

제쳤다—!!
와앙
캬
꺄악—!!
내가…
막아라, 대만아!!
와앗

네 녀석
들에게
질순 없다!!
!!
좋았어,
치수야!!
아앗!!

크윽….

산
2 18
능 남
65
2ND
63
4
T 4

와
이것으로
채치수도
4개째다!!
양팀 주장이
모두 파울이
4개로
이젠
마지막이야!

!!

그런데도
막을 수
없다니…!!
지금은 완전히
파울을 각오한
플레이였다
….

레프리
타임!!
삐삐삐야

!?

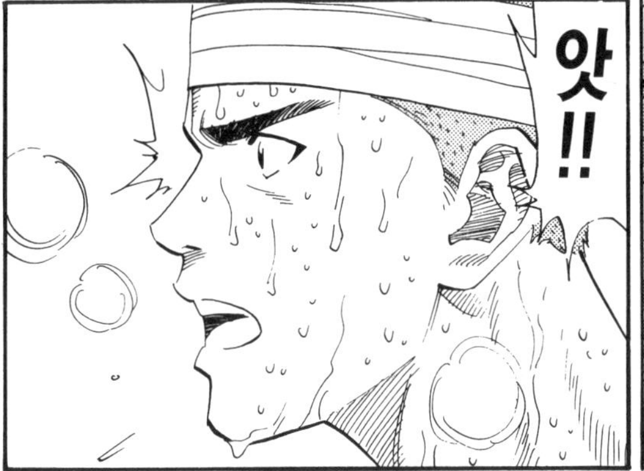
앗!!

정대만?!

SLAM
슬램덩크 완전판 프리미엄
DUNK

정대만 통한

……!!

와아아아아
#180 정대만 통한

잘한다,
잘한다!
능남!!
쾅
쾅
쾅
쾅

파이팅,
파이팅!
능남!!
쾅
쾅
쾅
쾅
……

탈수증
같은데….
수분 보충이
부족했던
모양이야.
그리고
쓰러질 때
입술이
찢어졌어요.

잠시 쉬고
수분을
섭취하면
회복하겠지만
이 시합은
더 이상….

불가능인가…!!

……

POCARI
SWEAT

더 없니…?
아…
사… 사가지고 올게요!

……

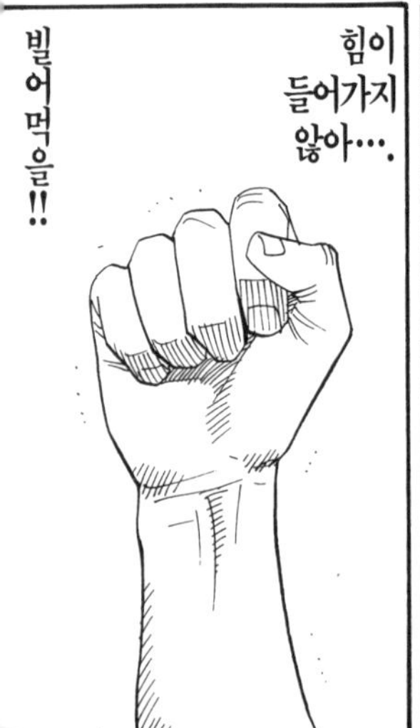
힘이 들어가지 않아….
빌어먹을!!

내게 중학교 때
이상의 체력이
있을 리가 없지….
중학교 때
쌓아놨던
재산으로만 하는
셈이니까….

……………

……
아!
꼭 이기도록
해요.
선배님!!
그만 가봐라.
타임 아웃이
끝났겠지.
나도 곧
갈테니까.
예….

……

……

딸칵

딸칵

……

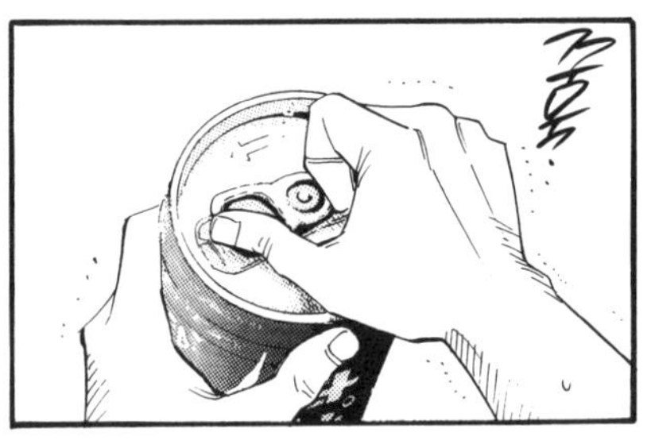

탁

……

왜
난 그렇게
헛된
시간을….
젠장….

와
아
아
아

아!!
좋았어!!
추가 자유투도 넣었어!!
윤대협의 독무대야!!
아아!
1점차다!!
좋아, 좋아, 좋아-!!

드디어!!
드디어 1점차다!!
와
산
능남
2ND
65
64
능남!!
젠-장!!
능남!!
능남!!
백호야, 빨리 패스해!!

탓
야앗!
아얏!
또 존
프레싱이다!
능남의
공격적인
디펜스야!!
와와
이런 마지막의
힘든 시간대에
저 정도의
움직임이라니….
능남도
상당히
훈련을 많이
했군.
너…
너무해!!
능남만
응원
하잖아!!
가라,
능남!!
윤대협!!
역전,
역전!!

능남!!
와아
능남!!
강백호
-!!
와아
능남!!
북산,
피이팅!!
와아
능남!!
와

뭐하고
있는 거냐?
채치수!!

!!

!!

아!

전국제패라구?
엉?

이런 곳에서 헤매면서 전국제패를 할 수 있다고 생각하나?
優勝
湘北

창수 오빠!!

유창수…?!

유도 사나이!!
엣

뭐지, 저 유도복은…?
글쎄요.
웅웅
웅웅
웅웅

뭐하는 사람이야?
술렁
술렁
술렁

짜—안
웅웅
술렁
술렁

저 녀석이…!
전국제패…!!

좋았어!!
나이스 패스!!
와아아아아
!!
와아
준호형!!
파

우와앗!!
!!
나이스 블로킹, 변덕규!!
자, 역습이다!!
막아라, 서태웅! 들어가게 하면 안돼!!

이것을 막아
기세를
꺾어야해!!
여기서 승부가
결정나겠군.
......
좋아!!

!
!!
황태산이다!!
윤대협에겐
패스도
있어!!
능남의
승리다.

SHOHOKU
10
26
SHOHOKU
11
7
4

아니?!
강백호!!
받아라,
황태산!!

그동안 쌓인
원한을 모두
풀어주마ー
고아앗

받아라, 황태산!
안돼…!!
응?!
아니?!
＃181 풋내기 강백호

타악
영수야, 프리다. 쏴라!!
뭐가ㅡ
파앗
……
프리란 말이야! 우호오!!
야아아

와
응?!
와
와
고릴라!!
와와
잡았어
와!!
어서 루즈볼을 잡아!!
!!
대만 선배!!
!!
반드시 이 1점은 지켜내야 해!!
북산
능남
65
64

우와아앗!
탁
와아
윤대협!!
칫…!!
와아
와아
와아
하나만 침착하게 가자!!
하나만!!
OK!!
팟

!?
아니?!
2:00

!!
강백호!!
YAMAMOTO

※헬드볼 : 양팀 선수가 볼에 한쪽손 혹은 양손을 대서 어느쪽 볼인지 확실히 알수가 없을 경우,
가까운 서클에서 점프볼을 한다

좋았어!!

※헬드볼!!
삐!
삐삑
엥?!

젠장….
내가 잡았는데…!!
와아아아
산
능
159
65

……

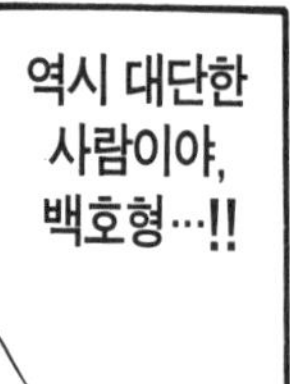

역시 대단한 사람이야, 백호형…!!

태산이형에 대한 블로킹….
거기다 방금 대협이형에 대한 수비….

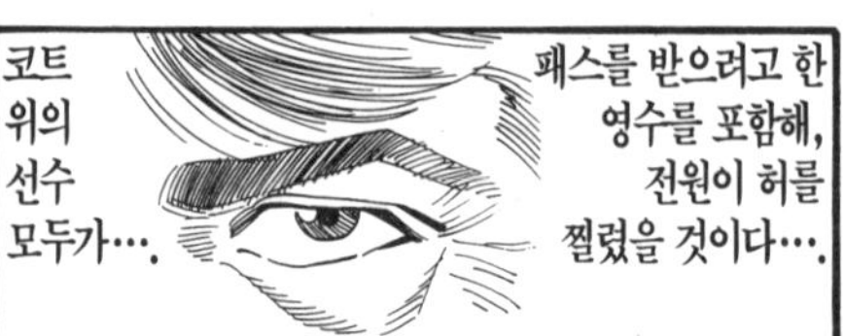

패스를 받으려고 한 영수를 포함해, 전원이 허를 찔렸을 것이다….
코트 위의 선수 모두가….

……

저 천재 대협 선배의 작전을 읽었단 말인가?!
말도 안돼…!!

역시 천재!
이 녀석….

단순한
풋내기의
습성이다.
볼이 있는
곳으로
달려가는-

생각하고
한 행동이
아니었어!!
지금은
마크해야할
태산이를
내버려두고
단지 볼을
쫓았을
뿐이었다!!

작전을 간파하고
뭐고가 아니다.
그저 우연일
뿐이야.
아니야,
그게
아냐!!

너석이
풋내기라서
그런 거다!!
당황하지 마라.

절대
점수를
주면
안돼!!
알겠지!!

대만아!

이
1점차는
반드시
지켜야돼!

알고 있다구, 정대만!!
!!
우와! 윤대협 보다 훨씬 위로…!!
응?!
멍청한 녀석! 뛰는 타이밍을 맞춰야지!!

파앗
아앗!!
좋아, 이 한 골은 반드시 성공시키자!!
역시 윤대협은 알고 있어.
좋아!! 우리가 질까보냐!
우리는 절대 지지 않아!!
저 바보 같은 녀석!!

이번에
한 골을 넣는
팀이
전국 진출이다!!
여기가
고비다!!
알겠나,
너희들!
죽을 힘을
다해
막아야해!
그래!!
후회는
남기지
않는다.
그것을 확신
시키는 듯한
북산의
수비였다.
수비에 있어
가장
필요한 것.
그것은
기술이 아니라
마음가짐이다.

30초
오버 타임의
카운트다운이
시작되었을
바로 그때….
3
!!
4
!!
5
!!
이미 응원은
능남만의
환호성이
아니었다.

윤대협의
이 시합
최고의 패스가
변덕규에게로
이어졌다!!
탁
약
SHOHOKU

네녀석도
4개다.
파울이
두렵겠지!!
이겼다!!

어째서
강백호가
거기에
있는
거냐?!
아니…

이긴다!!

SHOHOKU
10
#182 풋내기 강백호2

우와앗, 해냈어!!
와
얏
우와아아아아!!
탁
약
좋았어!!
백호가 변덕규를 블로킹했어!!

우와와와
어째서!!!
어째서 저런 곳에서 강백호가 튀어나오냔 말이다!!
핫핫핫!! 아직도 이해하지 못한 것 같군. 꼰대 아저씨!
이 천재 강백호의 무서움을!!
SHOHOKU
SHO
4
11

그리고 이해했을 때는 이미 한발 늦어!!
알겠느냐, 능남!!
두둥
웃기는군.
잘한다―!!
단순왕!!
저 점프력…
'천재 강백호의 무서움'인지 뭔진 모르겠지만 지금의 블로킹은 의미가 크다!!
윤대협이 최고의 패스를 해준 만큼 말야!!
……
젠장!!
까불지 마라, 애송이 녀석!!
역시 네 녀석에겐 유도가…!!
전혀 관계 없잖아!!
뭐가 천재야!

와
아
아
아
아아, 이젠 시간이 얼마 없어!!
앞으로 1분 30초 정도!!
북산
능남
65
2ND

아
물론 강백호가 윤대협의 패스를 읽었을 가능성은 100% 없어.
다음 플레이를 예측했다고도 생각하기 힘들지.

그렇지만 황태산을 막고

윤대협을 막고

변덕규를 막았다.

녀석의
육체가….
아니…
항
항
항
농구부
세포가
순간적으로
반응한
것이다!!

왔
와
와 와
그런
느낌이었어
….

1:16
파이팅!!
앞으로
1분 15초!

녀석은
북산의
불안요소
였을텐데
…!!

강백호…!!
내 나이 마흔 하나.
30여 년의 농구
인생 중에서
수없이 많은
선수들을
보아왔지만…

……
아!
꾸
우
욱

녀석은
마치
미지의
생물체인 것
같다.
이해할 수
없어~!!

능남의 불안요소 이기도 한 것인가 …?!
와 ―
저 녀석이…….
와 ―
막아라!!
북산!!
디―펜스!!
와아
야
야
북산!! 디―펜스!!
어떻게 해서라도 막아내야 한다!!
와 ―
북 산
1:12
능 남
65
2ND
64

이번 한골!!
함
함
함
능남에겐 대만 선배나 신준섭 같은 3점 슈터는 없다.
함
반드시 잡는다!!
함
함
함
한 골을 넣어 3점차로 만들면….
함

슈웃!!
15
10
13
6
7

우와앗?!
두
아ー앗!!
캉
엥!!

내가 잡을 거야!!
파앙
우와~!!
웃!!
쿠
바보야, 쏘지 마!! 패스해, 패스해, 패스해!! 바보 강백호!
윽…!
좋아, 하나만 넣자!!
후우…!!
저 풋내기 녀석이….

타
이야앗!!
!!
앗
송태섭, 저 바보가!
아앗!!

타
앗
나이스 안영수!!

!!
와
우와아아앗!!

아얏!!
라인
크로스!!
삐삐삑
!!

뭐라고?!
아아…
아깝다!!
속공으로
쉽게
역전할 수
있었는데!!
괜찮아요!!
나이스
플레이,
영수 선배!!
아까웠어요!
젠장…!!

반드시
이기고
말테다!!
왕
왕
왕

파이팅!!
왕
왕

수비다!!
와
와
좋아!!
와
와
디―펜스!!
와

왕
빙긋…
왕
왕

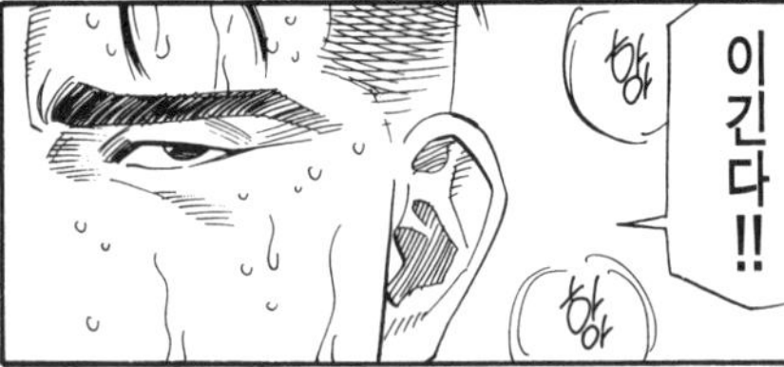
이긴다!!
왕
왕

이길테다!!
왕
왕

태환아!
예.
와
채치수나 서태웅에게 볼이 가면 반드시 더블팀이다
권준호는 조금 내버려두어도 된다!!
알겠지!!
……!!
와
디-펜스!!
디-펜스!!
와
와
백
와

북-산!!
북-산!!

이제 라스트 1분이야, 1분!!

생각해라.
여기서 안선생님이라면 어떻게 하셨을까?!

1:02

탁
!!
악
중학교
수준
주제에!!
탁
좋아,
잘했다!!
다
역전이다!!

아!!

아니-!!

좋아,
패스해!!

흥!!

아!!

준호야,
프리다!
쏴라!!

SHOHOKU
5
SO CLOSE

!!
勇猛果敢

철썩

♯183 안경 선배

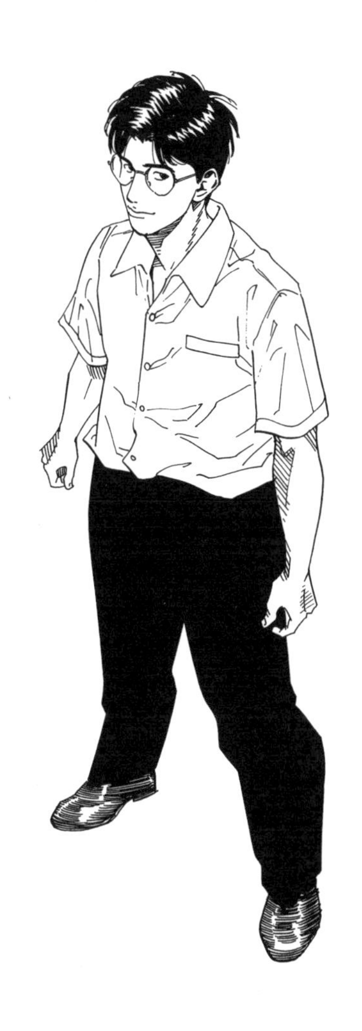

저, 선배님! 죄송합니다만 ….

농구부에 들어가고 싶은데요….
응?

나도 1학년이야.

北村中学校

탕
탕

채치수라고 해.
언젠가 전국을 제패할 거야!!

저…전국!!
넌 왜 농구를…?

아…! 난 권준호라고 해
난 체력을 강하게 하기 위해서….

…………

치수야.
응?

농구란 운동 재미없구나….
처음엔 그래.
쳇! 난 경험자인데…

치수야.

농구가 이렇게 힘든 스포츠였니?
계속 달려야 하는 운동이지.
헉 헉 헉
이봐, 권준호!!
자지마~!

치수야….

농구를 그만두고 싶은 적은 없었니…?

그만두고 싶냐, 준호 너…?

……

……

난 없었어.
단 한 번도!!

……

끝난 건가…!!
고신중
북촌중
0
2ND
42
36

이걸로 우리들도 은퇴인가…?!
하지만 3년 동안의 경기 중 가장 좋은 시합이었어.

그러니까 이제 그만 울어, 준호야!!
응.

치수야….
응.

나 이대로 그만두고 싶지 않아.

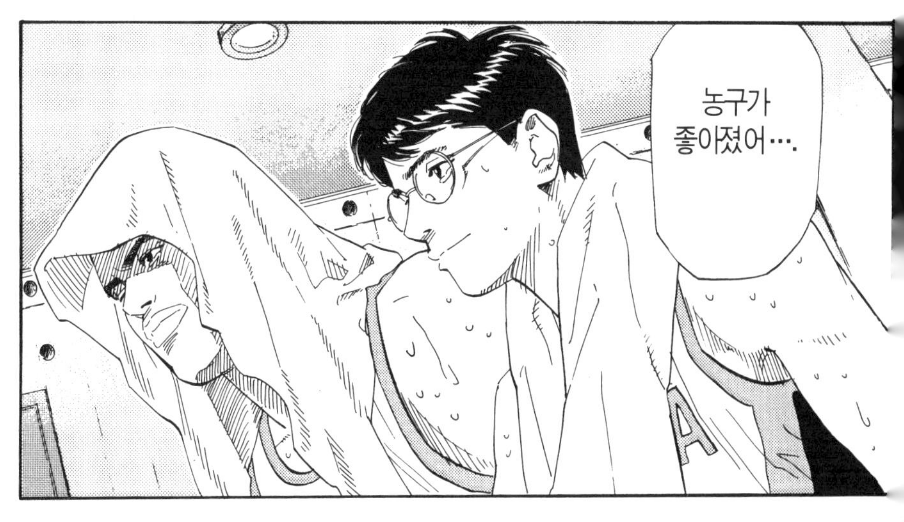

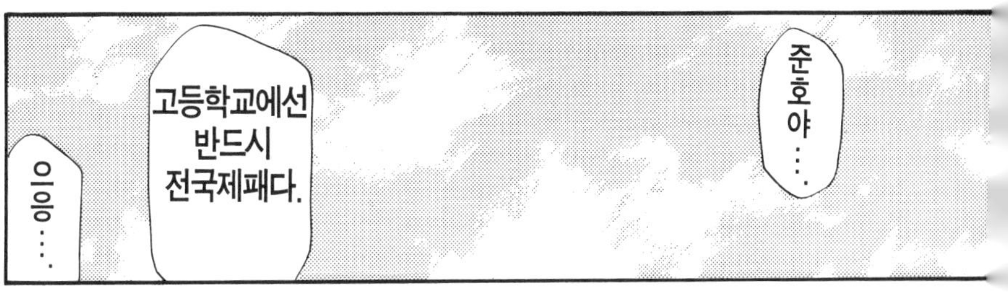

神奈川県立 湘北高等学校

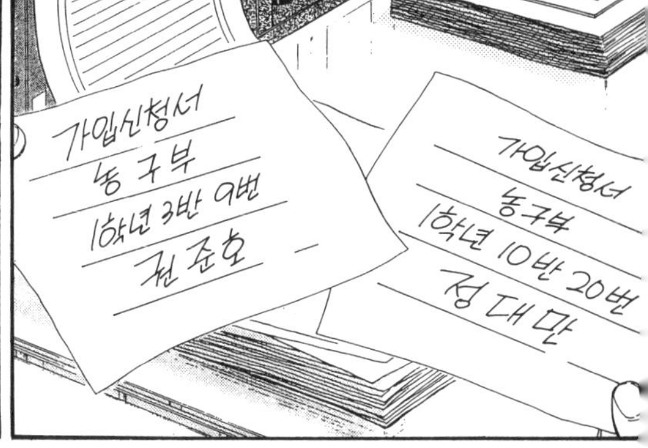

가입신청서
농구부
1학년 3반 9번
권준호
가입신청서
농구부
1학년 10반 20번
정대만

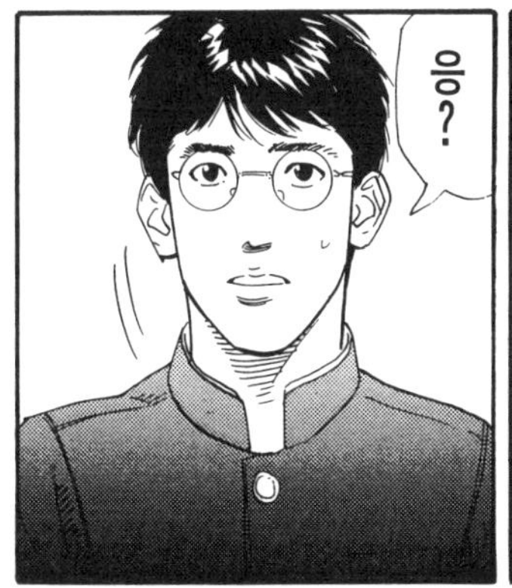

중학
MVP인…
정대만!!
너도
북산고에
…?!

목표는
북산고
전국 제패!!
!

!!
……………
대…
대만아!!

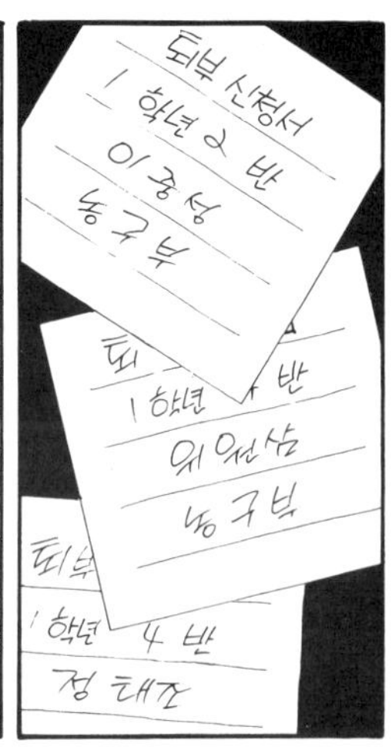
퇴부 신청서
1 학년 2 반
이중성
농구부
1 학년 반
위원삼
농구부
학년 4 반
정태조

오늘 중성이랑 원삼이가 탈퇴한 것 같아.
그래…?

…………
이제 드디어 우리 학년에선 우리 둘뿐인 건가….
처음엔 그렇게 많았는데….

이제 농구부는 어떻게 되는 걸까…?
이래서야 전국제패는 커녕….

농구부의 존속조차 위험해.
탕 탕

신입 부원이 15명….
매니저가 가장 힘이 넘치는군.

자, 파이팅!

과연
몇 명이나
남을까…?
이 녀석들을
단련시키는
수밖에 없겠지!

뭐?

조만간
도내 넘버원
가드라고
부르게
될걸요!
지금은 단지
굿 플레이어
지만….

5명 남으면
괜찮은 편
아닌가요?

응?
송태섭이라고
해용.
저말예요~
탕
탕

뭐야,
네 녀석은?

빠르다
…!!

강백호!!
서태웅.
이얍──!!
!!
아앗───!!
이런
형편없는 부는
이제
그만두겠어.

모조리 부숴 버리겠어!

스윽

정…
정대만?!

파 악

하아.
모두 없애버릴테다…!!
하아.

파악

그런 꿈 같은 소리는 지껄이지 마!!

안경
선배!

뭐
도와줄 거
없냐?

난
3학년이라…
이번이
마지막이야.

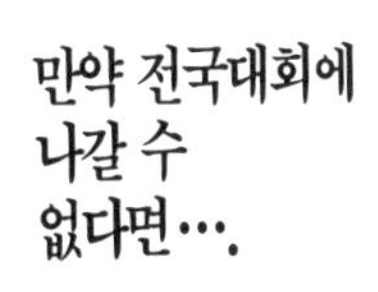
만약 전국대회에
나갈 수
없다면….

능남전이 마지막이야.

들어갔다…!

우와아앗, 들어갔다─!!!
권준호가!!
58
능 남
64
이것으로 점수차는 4점이 됐다!!

그것도
3점슛이야
!!
……
작전타임
능남!!
우와앗—
안경
선배!!
우왓!!
준호야!!
……!!
북
산

우와아앗!!
버억
북 산
와아아아앗!!

……

북-산!!
와아아아아아아
북-산!!
북-산!!

깔보아선 안됐었는데…

저 녀석도 3년간 열심히 해온 녀석이다.

4점차….
하아
하아
하아

앞으로 58초!!
한순간이라도
틈을
보여선 안돼!!

1·2·3
파이팅!!
#184 승패

58
57
猛

51
50

45
44

SHOHOKU
10

북 산
38
능 남
68
2ND
66
1
2
3
4

10
SHOHOKU
4
9

10

陵南

백코트다!!
윤대협이 노리고 있어!!
그래!!
……!!

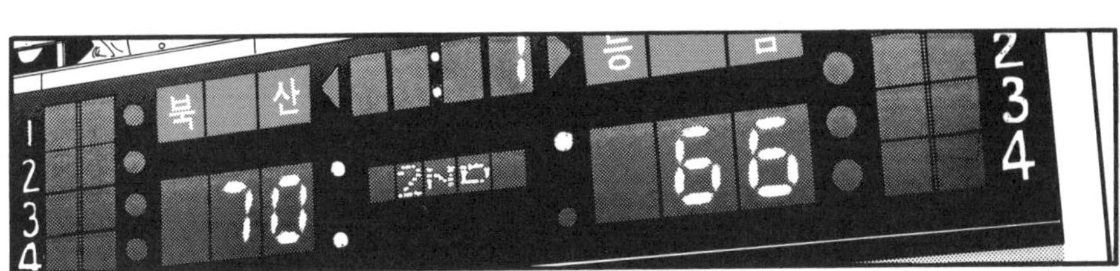
북 산
70
2ND
66

북 산
0
능 남
70
2ND
66

16 SLAM DUNK(完)

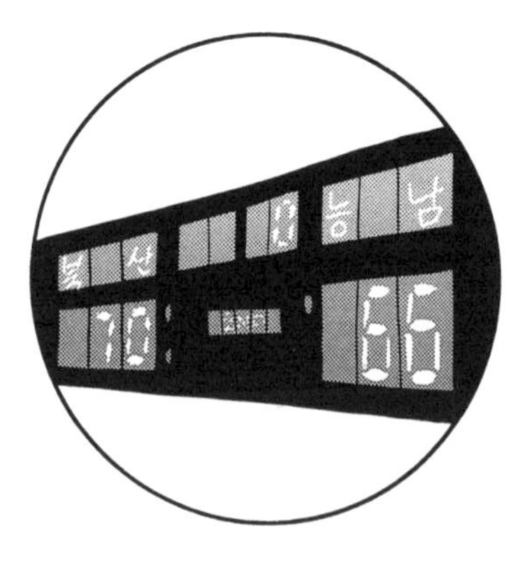

북 선
능 남
70
2ND
66

SLAM
슬램덩크 완전판 프리미엄
DUNK

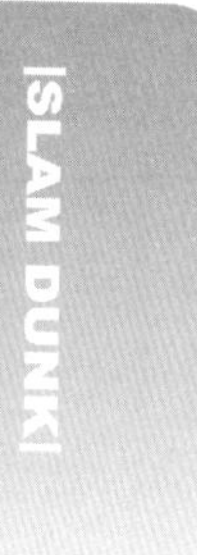

슬램덩크 완전판 프리미엄 16

2007년 9월 23일 1판 1쇄 발행 2023년 2월 14일 2판 3쇄 발행

•

저자 ······ TAKEHIKO INOUE

•

발행인 : 황민호
콘텐츠1사업본부장 : 이봉석
책임편집 : 김정택/장숙희
발행처 : 대원씨아이(주)

•

서울특별시 용산구 한강대로 15길 9-12
전화 : 2071-2000 FAX : 797-1023
1992년 5월 11일 등록 제 1992-000026호

•

•

ISBN 979-11-6944-812-3 07830
ISBN 979-11-6944-793-5 (세트)

•

SLAM
슬램덩크 완전판 프리미엄
DUNK

SLAM
슬램덩크 완전판 프리미엄
DUNK